Andy Prokh
El abecedario de Kate & Cat

LATA
de
SAL

EL ABECEDARIO DE
Kate & Cat

Fotografías de **Andy Prokh**

LATA*de*SAL

Gatos

A a

arriba | abajo | amigos

B b

bombilla

bípedo

balanceo

Cc

caricia | contigo | carácter

Dd

dormir | dúo | domingo

evolución | engatusar | erguido

fuera | flipar | futuro

guitarra ┊ gato ┊ guapo

héroe

····· ·····

hada

····· ·····

hermanos

ilustración

intrépidos

inventar

jabón

jugar

jacuzzi

Jj

karateka | kilos | kamikaze

Ll

luciérnaga | luar | lúgubre

Mm

malabares | manzana | miau

nada ⦙ noctámbulos ⦙ nosotros

Ññ

compañía | araña | cariño

oh ┊ orgullo ┊ observar

Pp

pies | pasmado | planta

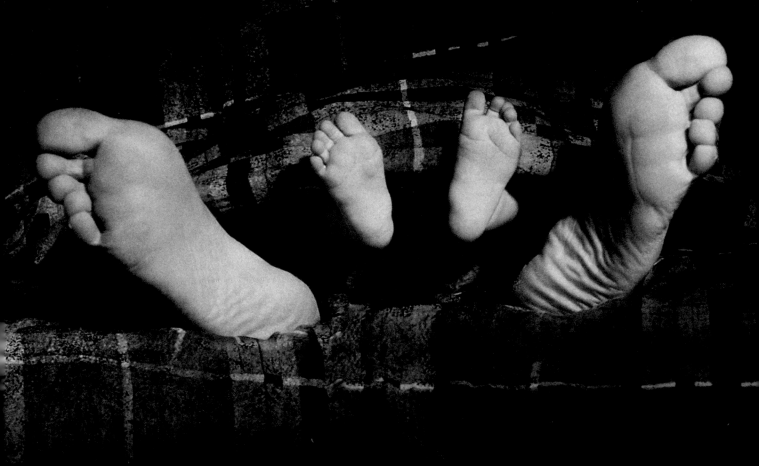

querer | quietud | quién

Rr

reflejo ⦙ recuerdo ⦙ ronroneo

sirena | sueño | secreto

Tt

tijeras | temor | teñir

Uu

universo

ufología

ultravioleta

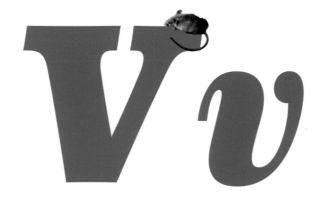

Vv

vértigo | vigilar | vida

Ww

web | western | wifi

auxilio · próximos · coexistir

Yy

yo | yoga | yacer

Zz

zanahoria | zampar | zarpa

Título original: *El abecedario de Kate & Cat*
© Lata de Sal Editorial, 2014

www.latadesal.com
info@latadesal.com

© de las fotografías: Andy Prokh
© del texto: Lata de Sal
© del diseño de la colección y de la maquetación: Aresográfico

Impresión: Villena Artes Gráficas
ISBN: 978-84-941784-7-4
Depósito legal: M-4204-2014
Impreso en España

Este libro está hecho con papel procedente de fuentes responsables.
En las páginas interiores se usó papel FSC de 170 g
y se encuadernó en cartoné al cromo plastificado mate,
en papel FSC de 135 g sobre cartón de 2,5 mm.
El texto se escribió en Eames Century Modern.
Sus dimensiones son 21×21 cm.

Y gracias a Chasis y Logan por pertenecer a las fotografías de nuestras vidas.